# The Old Testament　きゅうやくせいしょ

おはなしのもくじ

# はじめに

＊バイブル←あかじはアクセントです。

ファースト ガッド メイド ライト
**"First, God made light."**
はじめに　かみさまは、
ひかりをおつくりになりました。

ヒー　メイド　ザ　サン　ザ　ムーン　アンド　スターズ
**He made the sun, the moon and stars.**
かみさまは、たいよう、つき、ほしをおつくりになり、

ヒー　メイド　トゥリーズ　フラウアーズ　アンド　オール　アニマルズ
**He made trees, flowers and all animals.**
き、はな、すべてのどうぶつをおつくりになりました。

ファイナリー ガッド クリエィティッド アダム アンド イヴ

Finally, God created Adam and Eve.

さいごに かみさまは、アダムとエバをおつくりになりました。

エヴリシング ワズ ヴェリー グッド

Everything was very good.

すべてがとてもすばらしいものでした。

# A·a のおけいこ

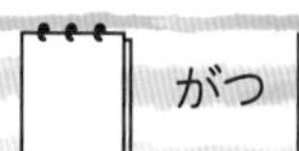

□がつ □にち

なぞってかきましょう。

＊アルファベットにきめられた かきじゅんはなく、ガイドと ことなっても まちがいでは ありません。かきやすい ほうほうで かいても だいじょうぶです。

おおもじ

エイ

こもじ

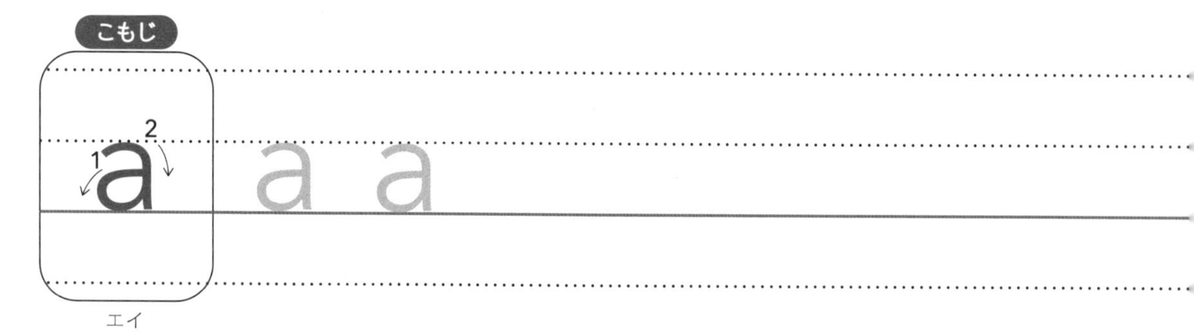


エイ

## A·a がつくことば

★こえにだしてよみましょう。
★いろもぬりましょう。

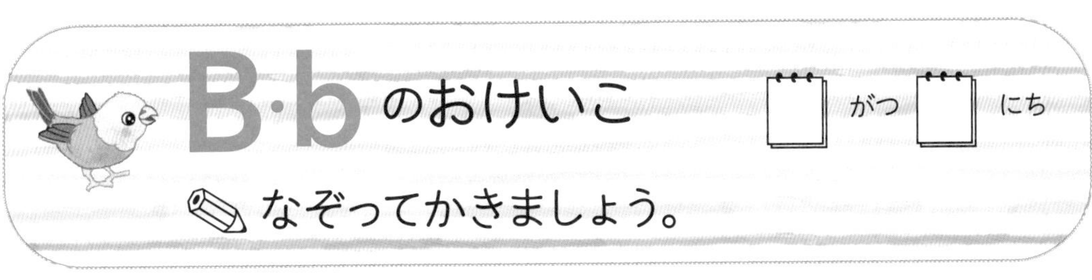

# B·b のおけいこ

□がつ □にち

なぞってかきましょう。

ガッド トウルド ノア トゥ メイク ア ビッグ アーク アンド セッド
God told Noah to make a big ark and said,
かみさまは、ノアに おおきなはこぶねをつくるよう いわれました。

テイク ユア ファミリー アンド トゥー オブ イーチ アニマル オン ボード
"Take your family and two of each animal on board."
「かぞくと どうぶつをにひきずつ ふねにのせなさい」と、いわれました。

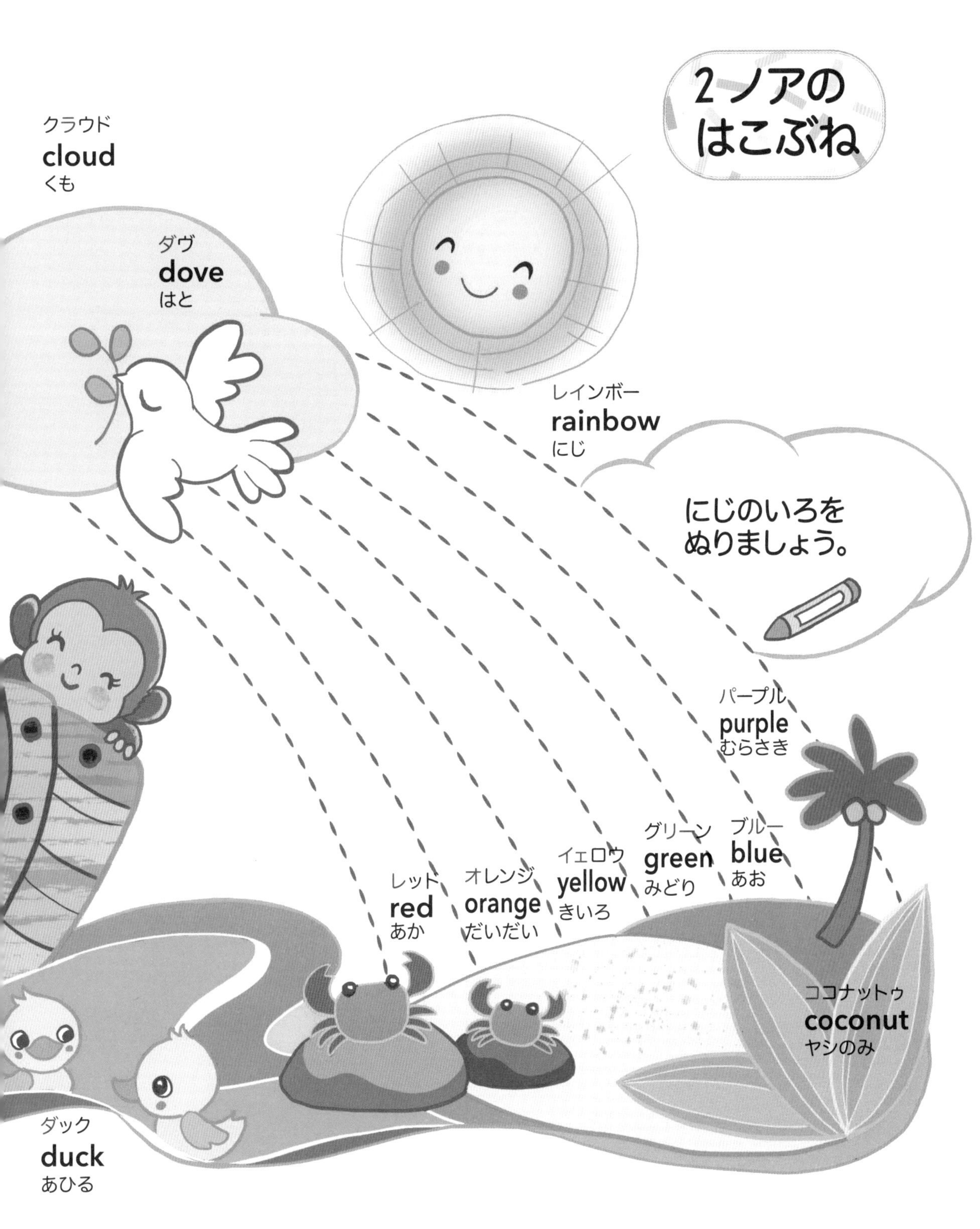


レイン　ケイム　ダウン　エヴリ　デイ　アンド　ゼン　スタップト
Rain came down every day and then stopped.
あめがまいにちふり、それから やみました。

ガッド　セイヴド　ノアズ　アーク
God saved Noah's ark.
かみさまは、ノアとはこぶねをまもられました。

# C·c のおけいこ　　がつ　　にち

なぞってかきましょう。

おおもじ

スィー

こもじ

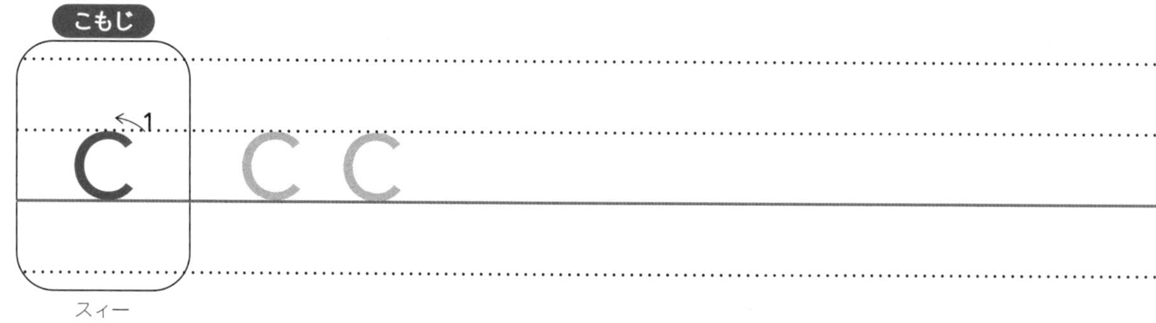


スィー

★こえにだしてよみましょう。
★いろもぬりましょう。

キャット［ねこ］
cat

クラブ［かに］
crab

カウ［うし］
cow

# D·d のおけいこ

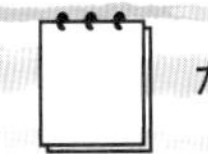 がつ  にち

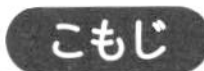 なぞってかきましょう。

おおもじ

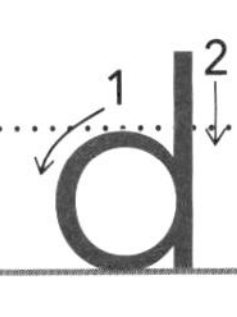

D D D

ディー

こもじ

d d d

ディー

## D·d がつくことば

★こえにだしてよみましょう。
★いろもぬりましょう。

ダヴ［はと］
dove

ダック［あひる］
duck

ドッグ［いぬ］
dog

# 3 アブラハムと かみさまのやくそく

A から J まで じゅんばんに
せんで むすびましょう。

ガッド　プロミスト　エィブラハム
God promised Abraham,
ユー　ウィル　ハヴ　アズ　メニー　ファミリーズ　アズ　スターズ
"you will have as many families as stars."
かみさまは、アブラハムに「ほしのかずほど　かぞくをあたえよう」とやくそくされました。

ザ　ネイム　エィブラハム　ミーンズ　ファーザー　オブ　メニー　カントリーズ
The name Abraham means "father of many countries."
アブラハムというなまえは「たくさんのくにの おとうさん」といういみ。

# 4 ヨセフのきもの

うえのえのなかで したのえと ちがうところを 10 みつけて まるで かこみましょう。

ジェイコブ ハド トゥウェルヴ サンズ
Jacob had twelve sons.
ヤコブには 12 にんのむすこがいました。

ヒー ライクト ジョーセフ ザ ベスト アンド ゲイヴ ヒム ア ビューティフル コウト
He liked Joseph the best and gave him a beautiful coat.
ヨセフがいちばんのおきにいりで、きれいなきものをあたえました。

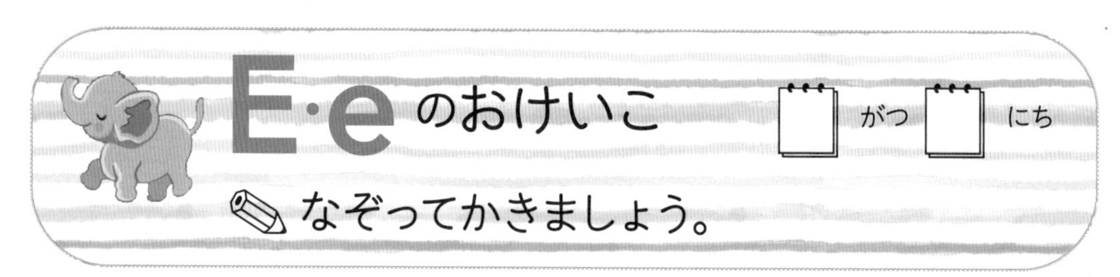

E·e がつくことば

★こえにだしてよみましょう。
★いろもぬりましょう。

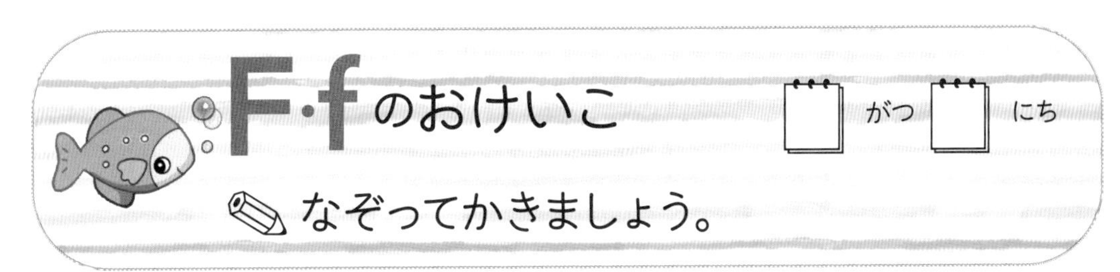

★こえにだしてよみましょう。
★いろもぬりましょう。

# 5 あかちゃんモーセ

ナイルがわの　あかちゃんモーセのはいったかごから、エジプトのおひめさままで、AからGまでとおって　せんをひきましょう。

ア　マザー　ヒッド ハー ベイビー　ボーイ イン　ザ　バスケット トゥ セイヴ　ヒム フロム　ア
**A mother hid her baby boy in the basket to save him from a**
ミーン　エジプシャン キング　ザ　キングス ドーター　ア カインド プリンセス ファウンド
**mean Egyptian king. The king's daughter, a kind princess, found**
ヒム　アンド　ネイムド　ヒム　モウジズ
**him and named him Moses.**

おかあさんは、いじわるなエジプトのおうさまからまもるため、あかちゃんをかごにかくしました。おうさまのむすめ、やさしいおひめさまが、あかちゃんをみつけ、そのこをモーセとなづけました。

# 6 マナとうずら

おなじうずらをさがして　まるで
かこみましょう。

うずらとマナをそれぞれかぞえて、
かずをかきましょう。

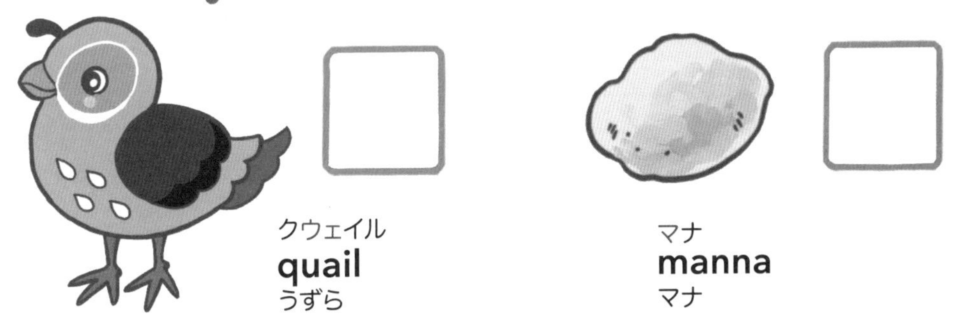

クウェイル
**quail**
うずら

マナ
**manna**
マナ

ガッド　ゲイヴ　ジ　イズリアライツ　フード　（クウェイルズ　アンド　マナ）トゥ　イート　イン
God gave the Israelites food (quails and manna) to eat in
ザ　ウィルダネス　ガッド　トゥック　グッド　ケア　オブ　ゼム
the wilderness. God took good care of them.
かみさまは、あらので イスラエルじんに たべもの（うずらのにくとマナ）をあたえられました。

## 7 10 のおやくそく

かずをかぞえて、なぞりましょう。

| | | | |
|---|---|---|---|
| 1 | ワン<br>**one**<br>いち | 1 | 1 |
| 2 | トゥー<br>**two**<br>に | 2 | 2 |
| 3 | スリー<br>**three**<br>さん | 3 | 3 |
| 4 | フォー<br>**four**<br>し | 4 | 4 |
| 5 | ファイヴ<br>**five**<br>ご | 5 | 5 |

モウジズ
**Moses**
モーセ

ストウン
**stone**
いし

1 I am the only God.
わたしだけがかみです。

2 Do not worship idols.
ほかのものをおがんではいけない。

3 Use my name for good.
かみのなまえはよいことにつかいなさい。

4 Keep the seventh day holy.
にちようびはとくべつなひです。

5 Honor your parents.
りょうしんをたいせつにしなさい。

ガッド　ゲイヴ　モウジズ　テン　ルールズ　リトゥン　オン　トゥー　ストウン　タブレッツ
**God gave Moses 10 rules written on two stone tablets.**
かみさまは、モーセに 10 のおやくそくのかかれたいしを ふたつおあたえになりました。

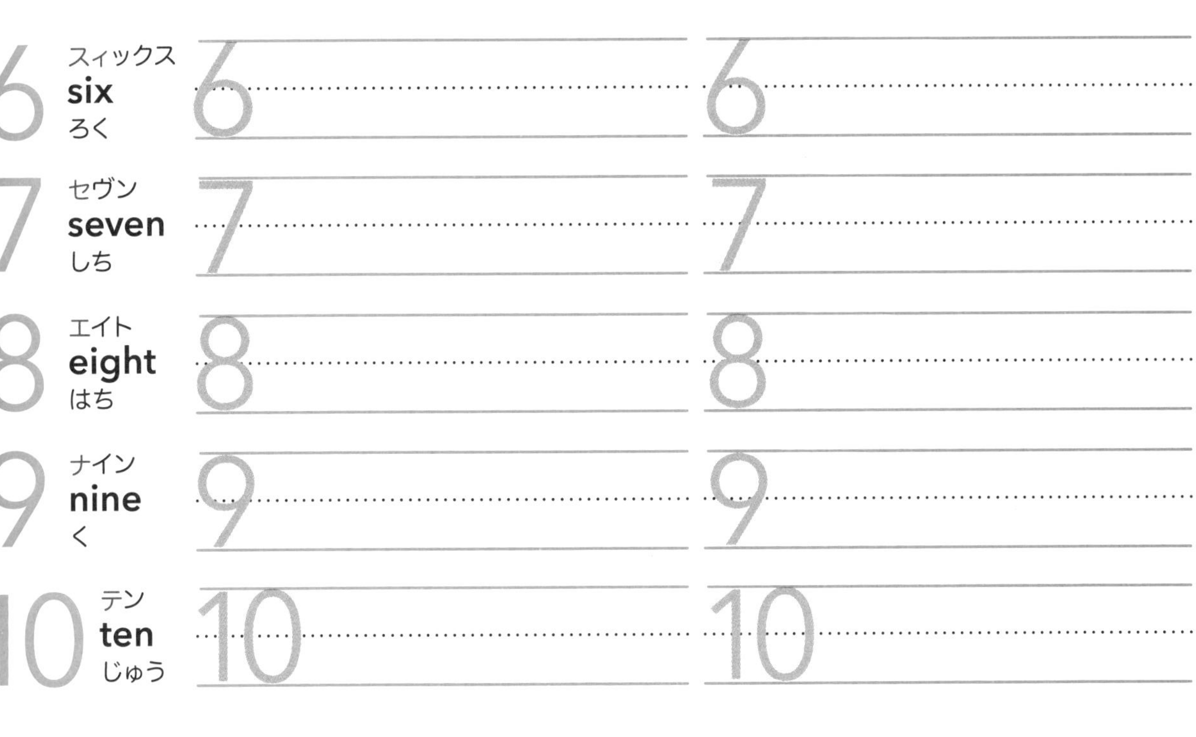

ディーズ ワー ガッズ ローズ トゥ ショウ ピープル ハウ トゥ ラヴ ヒム アンド ワン アナザー

These were God's laws to show people how to love Him and one another.

これらは、みんなが かみさまをあいし なかよくくらせるための、かみさまのおやくそくです。

すうじ、えいご、もののかずがあうように、せんでむすびましょう。

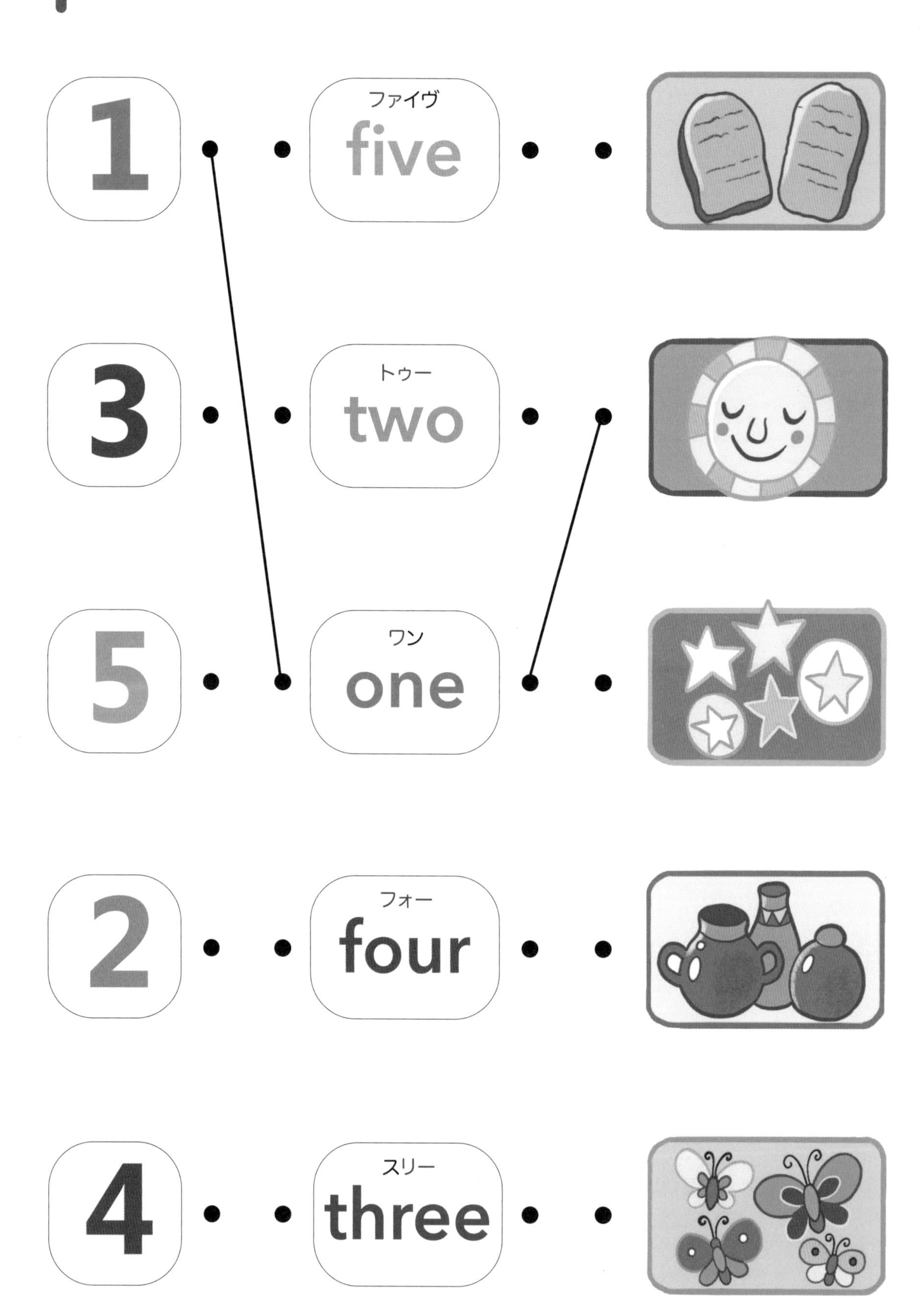

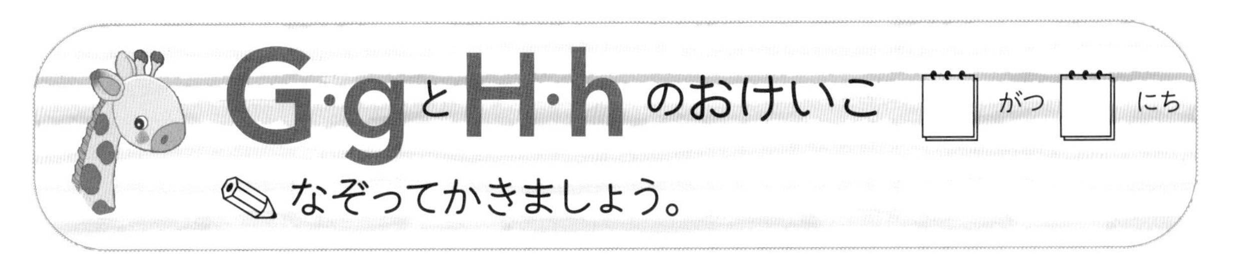


おおもじ

G G G

ジー

こもじ

g g g

ジー

おおもじ

H H H

エイチ

こもじ

h h h

エイチ

# 8 ひつじかいダビデ

にひきのおなじひつじをみつけて、
まるでかこみましょう。

キング　ディヴィッド オブ イズリアル ワズ ア　シェパド　　フェン　ヒー ワズ　ア　ボーイ
**King David of Israel was a shepherd when he was a boy.**
イスラエルのおうさまダビデは、こどものときひつじかいでした。

# 9 おうさまソロモン

A から Z までじゅんにせんでつなげましょう。
いろもぬりましょう。

なにがでてくるかな？

A から Z までこえに
だしてよみましょう。

ガッド　ブレスト　ソロモン　キング　ディヴィッズ　サン
**God blessed Solomon, King David's son,**
アンド　ゲイヴ　ヒム　ウィズダム
**and gave him wisdom.**

かみさまは、ダビデおうさまのむすこ、ソロモンをしゅくふくし、
（ものごとをただしくはんだんする）ちえをあたえられました。

Iiと Jjのおけいこ
なぞってかきましょう。

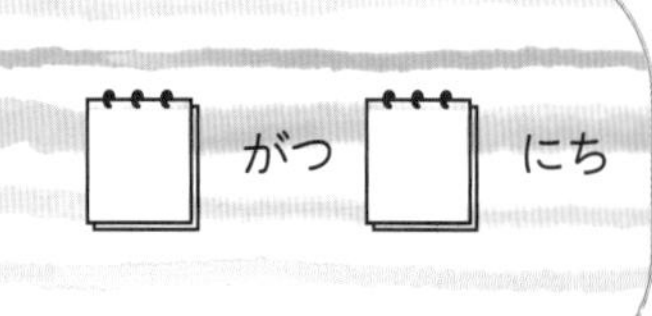
がつ
にち

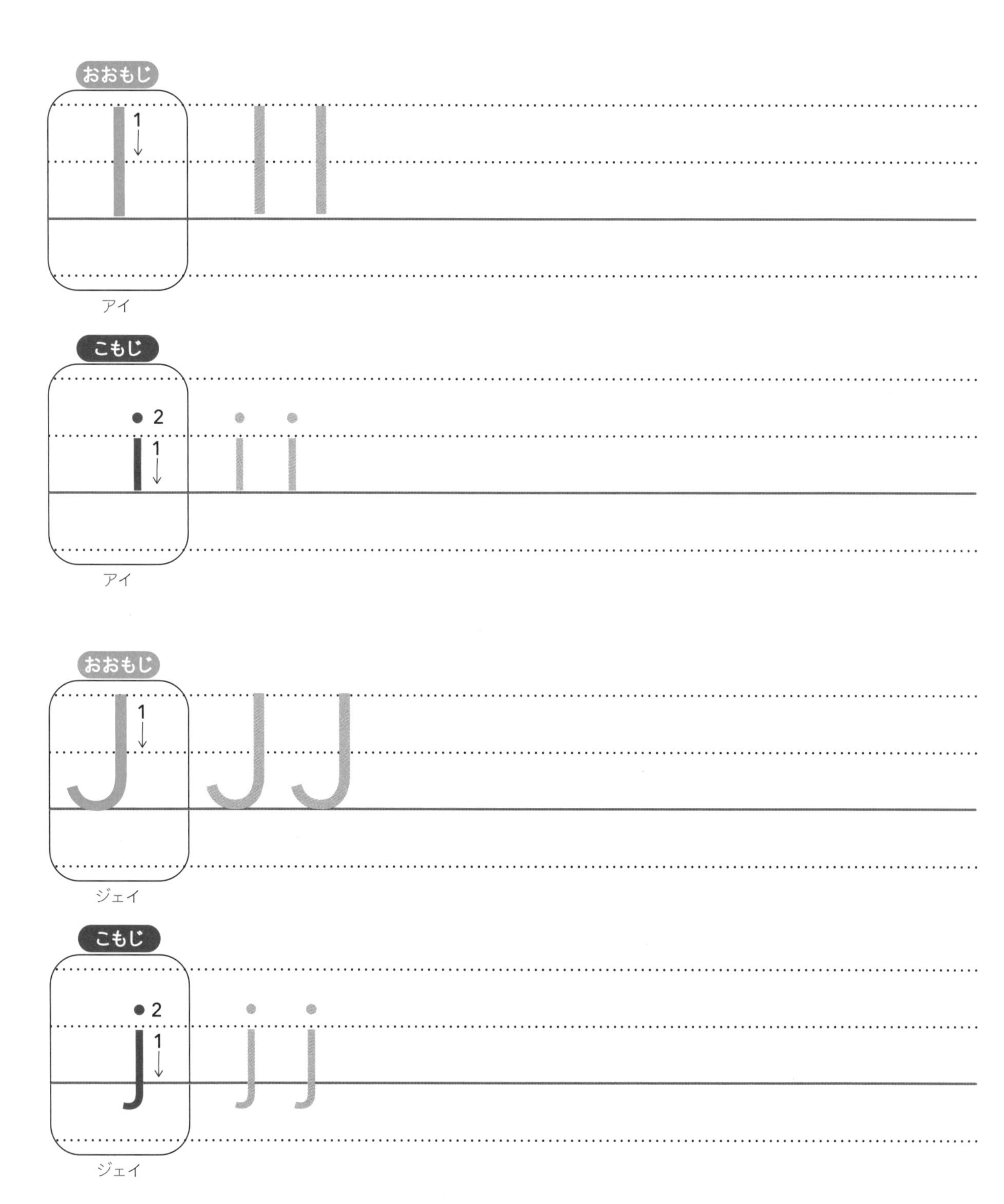
おおもじ
I
1
アイ
こもじ
i
2
1
アイ
おおもじ
J
1
ジェイ
こもじ
j
2
1
ジェイ

# 10 ヨナのおしらせ

すうじのじゅんにめいろをとおって、ヨナといっしょにニネベのひとたちに、かみさまからのよいしらせをとどけましょう。

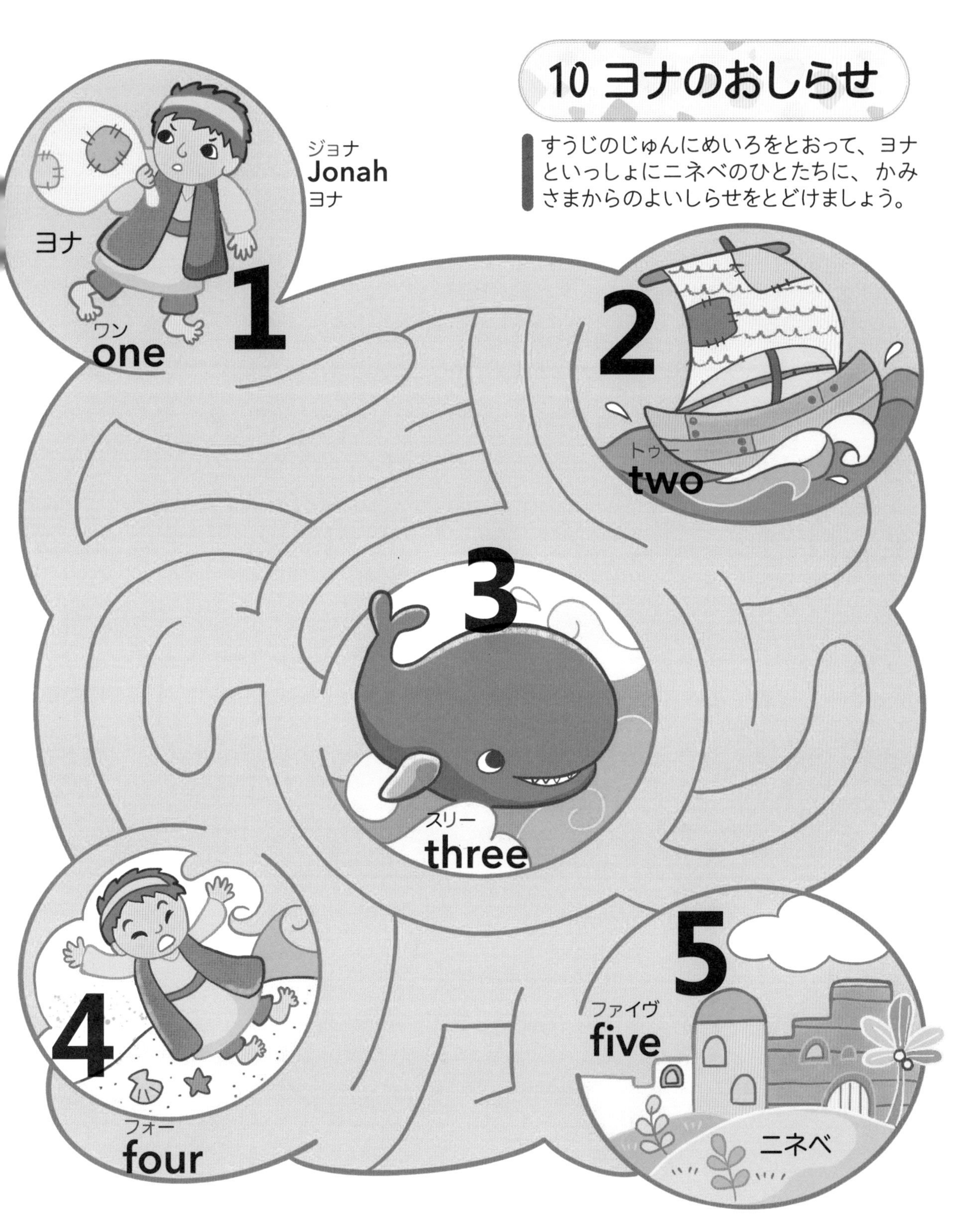


ジョナ　ラン　アウェイ　フロム　ガッド　バット ヒー　ガット　スワロウドゥ　バイ　ア ビッグ フィッシュ
Jonah ran away from God, but he got swallowed by a big fish.
ジョナ　プレイド　トゥ ガッド　インサイド　ザ　フィッシュ ガッド　ハード　ヒズ　プレアーズ
Jonah prayed to God inside the fish. God heard his prayers.

ヨナはかみさまからにげだしましたが、おおきなさかなに　のみこまれました。ヨナは、さかなのなかで、かみさまにいのりました。かみさまはヨナのいのりをききかれました。

## 11 どうくつのダニエル

いろをぬりましょう。

ダニエル　ワズ　プット イントゥ ア デン　ビコーズ　オブ プレイイング トゥ ガッド アンド
Daniel was put into a den because of praying to God and
ノット トゥ ア キング　ガッド　ケプト　ダニエル　セイフ
not to a king. God kept Daniel safe.

ダニエルは、おうさまにではなく　かみさまにいのったので、どうくつにいれられました。
かみさまは、ダニエルをまもられました。

# K・kとL・lのおけいこ

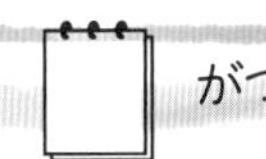


なぞってかきましょう。

おおもじ

K K K

ケイ

こもじ

k k k

ケイ

おおもじ

L L L

エル

こもじ

l l l

エル

# *The New Testament*　しんやくせいしょ

おはなしのもくじ

# 12 てんしのやくそく

マリアとヨセフといっしょに
ベツレヘムへいきましょう。

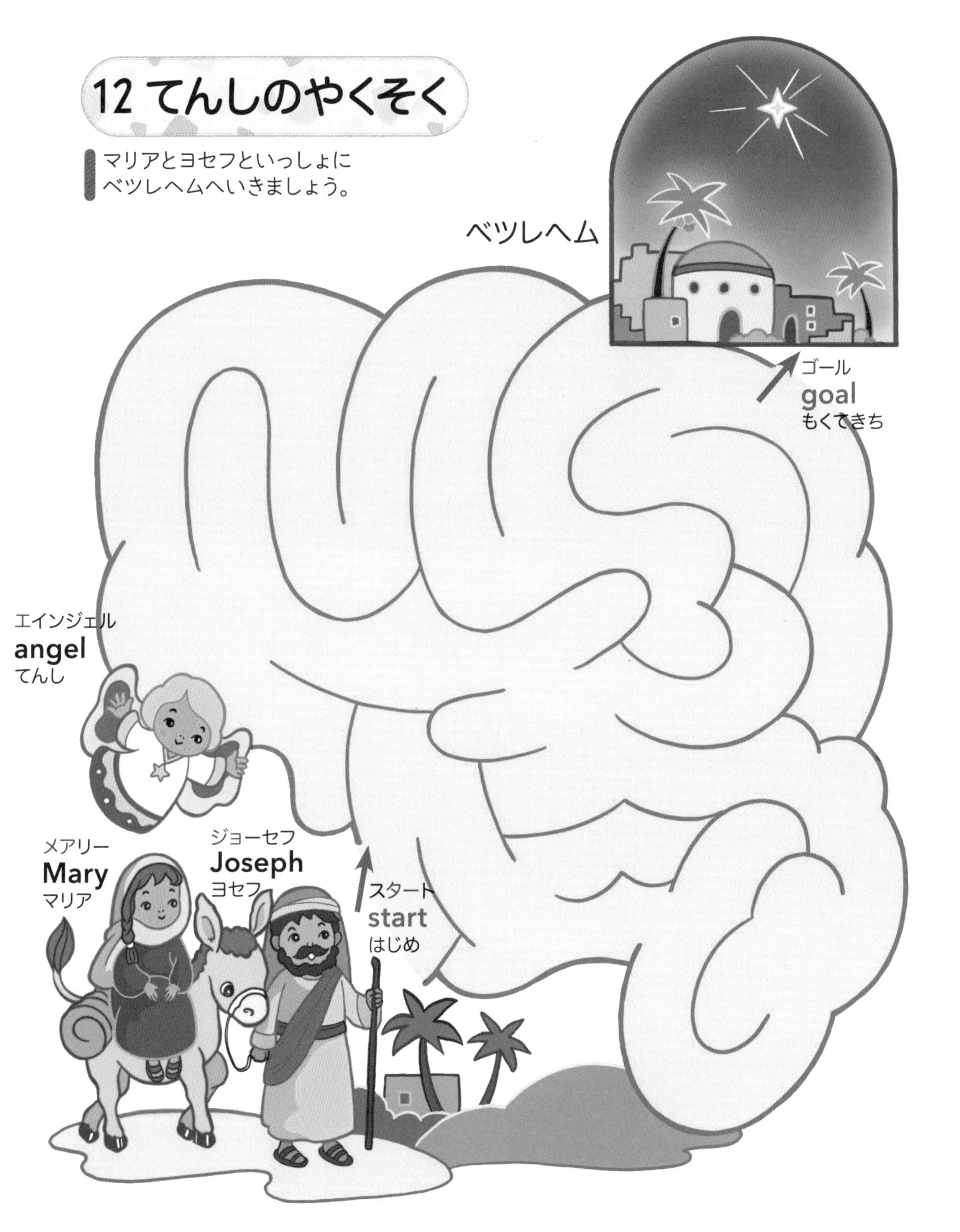


メアリー　アンド　ジョーセフ　ハード　ザ　ニューズ　アバウト　ザ　ベイビー
**Mary and Joseph heard the news about the baby**
フロム　アン　エインジェル　レイター　ゼイ　ウェント　トゥ　ベスリハム
**from an angel. Later, they went to Bethlehem.**

マリアとヨセフは、てんしから　あかちゃんのしらせをききました。
しばらくして、マリアとヨセフはベツレヘムにいきました。

## 13 ベツレヘムのあかちゃん

いろをぬりましょう。

ワン　ナイト　ア　スペシャル　ベイビー　ベイビー　ジーザス　ワズ　ボーン
One night, a special baby - Baby Jesus was born
イン　ア　スティブル　イン　ベスリハム
in a stable in Bethlehem.
あるよる、ベツレヘムのこやで、とくべつなあかちゃん━イエスさまがうまれました。

# M·m のおけいこ

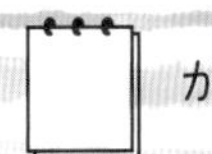 がつ □ にち

なぞってかきましょう。

おおもじ

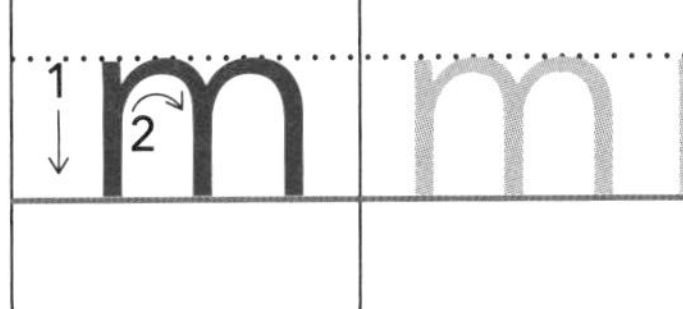

M M M

エム

こもじ

m m m

エム

## M·m がつくことば

★こえにだしてよみましょう。
★いろもぬりましょう。

マザー［おかあさん］
mother

ラム［こひつじ］
lamb

メアリー［マリア］
Mary

# 14 イエスさまと 12 にんのでし

つぼ（pot）はいくつあるかな

フェン ジーザス グルー アップ ヒー ビギャン トゥ ティーチ ピープル アバウト
When Jesus grew up, he began to teach people about
ガッド ウィズ ヒズ トゥウェルヴ ディサイプルズ
God with his twelve disciples.

イエスさまはおとなになって、ひとびとにかみさまについて はなしはじめました。
12 にんのでしたちもいっしょでした。

はと（pigeon）もかぞえてみましょう。

ガッド　ラヴス　ユー　ジーザス　セッド　ラヴ　ガッド　アンド　ラヴ　ワン　アナザー
"God loves you," Jesus said. "Love God, and love one another".
「かみさまは、あなたがたをあいしています」とイエスさまは　おっしゃいました。「かみさまをあいしなさい。そして、おたがいになかよくしなさい」

# N・nとO・oのおけいこ

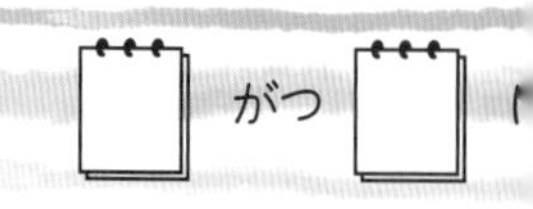


なぞってかきましょう。

おおもじ

N N N

エン

こもじ

n n n

エン

おおもじ

O O O

オウ

こもじ

o o o

オウ

# P·p のおけいこ

なぞってかきましょう。

おおもじ

こもじ



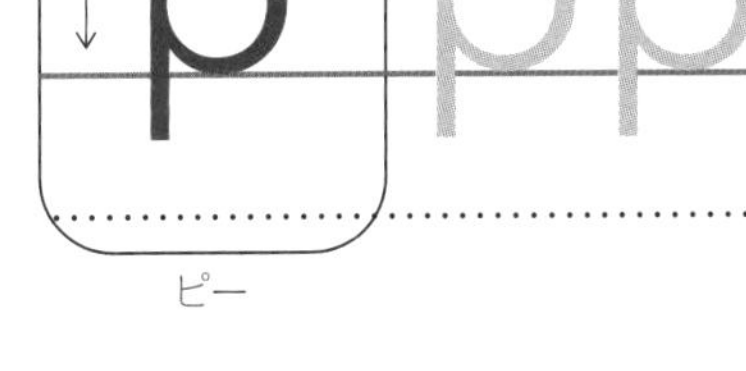

★こえにだしてよみましょう。
★いろもぬりましょう。

ポット［つぼ］
pot

ピッグ［ぶた］
pig

パーム［やし］
palm

# 15 5000にんのしょくじ

イエスさまは、カゴのなかのすこしのパンと
さかなを5000にんのしょくじにかえられました。

カゴのなかのパンと
さかなをかぞえて
かずをかきましょう。

ア ボーイ ゲィヴ ヒズ ランチ トゥ ジーザス ジーザス サンクト ガッド アンド ゲィヴ イッ

**A boy gave his lunch to Jesus. Jesus thanked God, and gave i**

トゥ エヴリワン ゼア イット ビケイム ミールズ フォー ファイヴサウザンド ピープル

**to everyone there. It became meals for 5000 people.**

おとこのこが、じぶんのおひるごはんを イエスさまにさしあげました。イエスさまが かみさまに
かんしゃし わけると それは5000にんぶんのしょくじになりました。

# Q・q のおけいこ

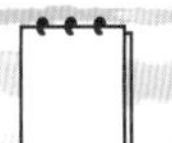
がつ　にち

なぞってかきましょう。

## Q・q がつくことば

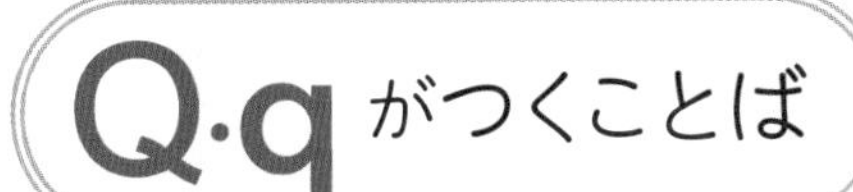

★こえにだしてよみましょう。
★いろもぬりましょう。

クウェイル［うずら］
quail

クウィルト［キルト］
quilt

クウィーン［じょおう］
queen

# R·r のおけいこ

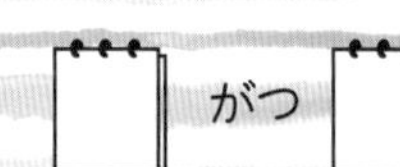

がつ　にち

なぞってかきましょう。

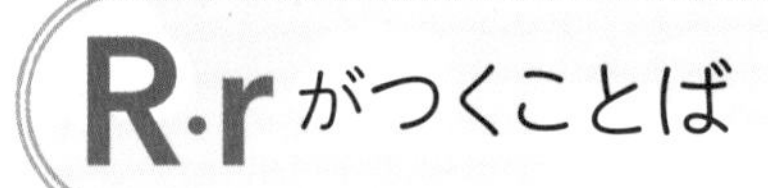

★こえにだしてよみましょう。
★いろもぬりましょう。

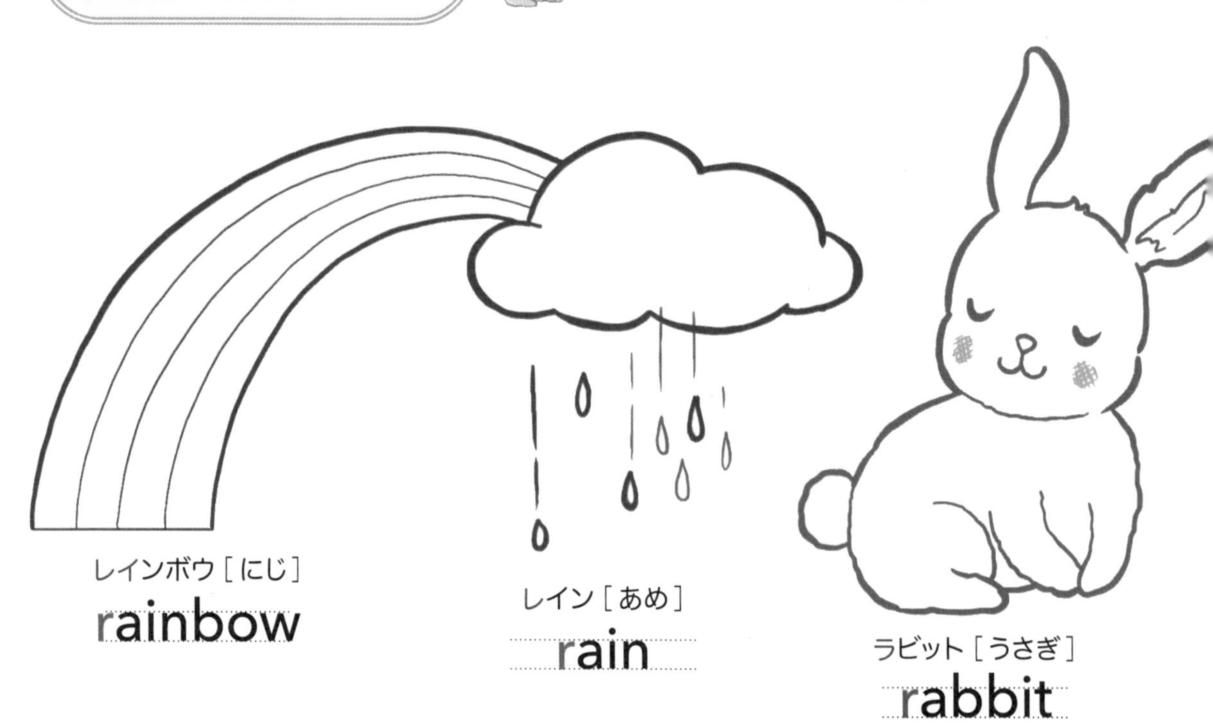

# 16 まいごのひつじ

Sのつくことばを
こえにだしてよんでみましょう。

ア シェパド　ハズ ワンハンドレッド シープ　ジーザス セッド　フェン　ヒー ルージィズ
"A shepherd has 100 sheep," Jesus said, "When he loses
ワン シープ　ヒー リーヴス　ザ ナインティーナイン トゥ ルック フォー ザ　ロスト シープ
1 sheep, he leaves the 99 to look for the lost sheep."

「あるひつじかいが　100ぴきのひつじをもっています」と　イエスさまはいわれました。
「1ぴきのひつじがまいごになると、ひつじかいは99ひきをおいて、まいごのひつじをさがします」

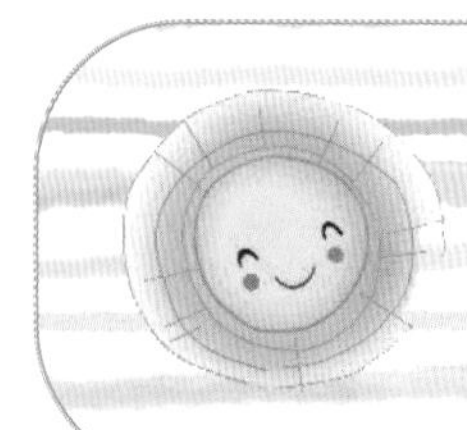

# S·s のおけいこ

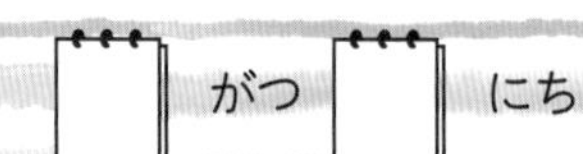


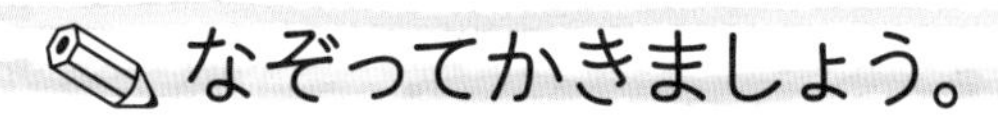

なぞってかきましょう。

## S·s がつくことば

★こえにだしてよみましょう。
★いろもぬりましょう。

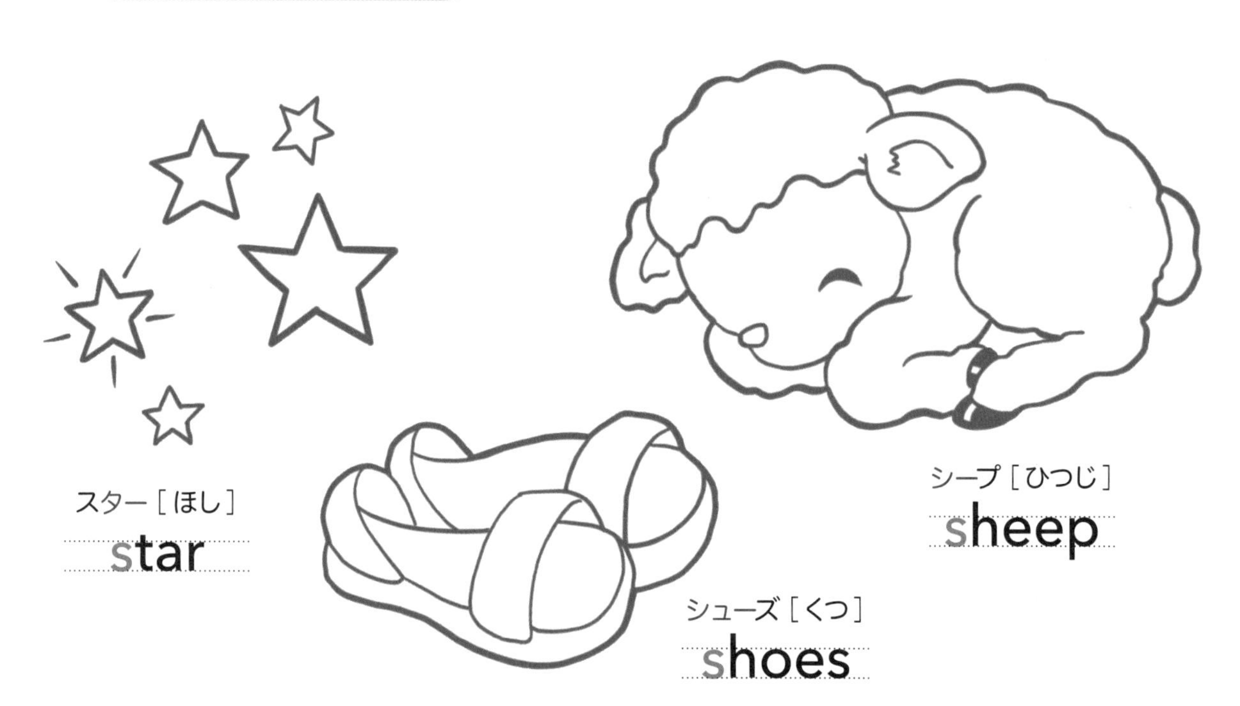

# 17 きにのぼったザアカイ

えのなかにＴとｔはいくつかくれているか、かぞえてみましょう。

ノー　ワン　ライクト　ザッキーアス　ヒー　クライムド　ザ　トゥリー トゥ シー　ジーザス

No one liked Zacchaeus. He climbed the tree to see Jesus,

アンド ヒー ワズ　ソウ　ハッピー　トゥ ヒア　ジーザス イズ カミング　トゥ ヒズ ハウス

and he was so happy to hear Jesus is coming to his house.

だれもザアカイがすきではありませんでした。ザアカイは、イエスさまをみたくて、きにのぼり、イエスさまがじぶんのいえにくるときいて、なんとうれしかったでしょう。

# 18 ロバにのったイエスさま

ジーザス ロード オン ア スモール ドンキー アンド エンタード ジェルーサレム
Jesus rode on a small donkey and entered Jerusalem.
ピープル ワー ハッピー アンド シャウテッド ホザーナ
People were happy and shouted,"Hosanna!"

イエスさまは　ちいさなロバにのって、エルサレムにおはいりになりました。
ひとびとは、よろこんで　「ばんざーい！」とさけびました。

# T・t のおけいこ

なぞってかきましょう。

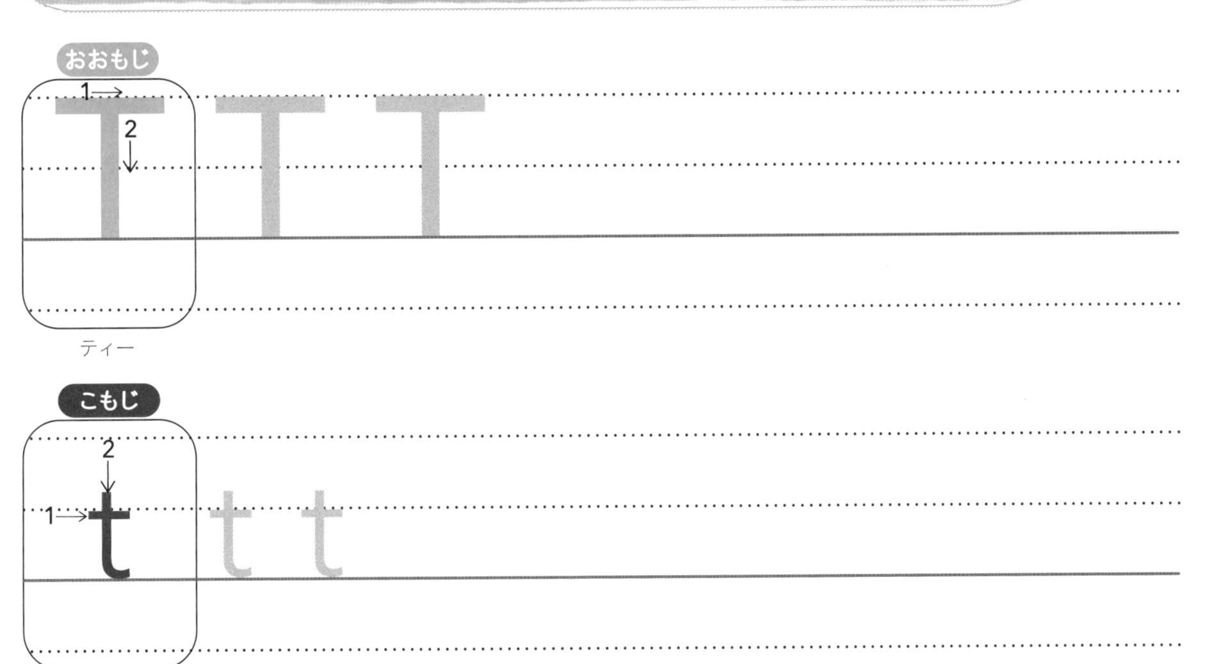


## T・t がつくことば

★こえにだしてよみましょう。
★いろもぬりましょう。

タイガー［とら］
tiger

タートル［かめ］
turtle

トゥリー［き］
tree

# 19 ペテロとイエスさま

うえのえのなかで したのえとちがうもの
を 10 みつけて まるでかこみましょう。

ビフォー ジーザス アンド ヒズ フレンズ ハド ザ ラスト サパー ジーザス
Before Jesus and his friends had the last supper, Jesus
ワッシト ピーターズ フィート ライク アイ ディッド ビー カインド トゥ ワン アナザー
washed Peter's feet. "Like I did, be kind to one another."
いっしょにさいごのおしょくじをするまえ、イエスさまはペテロのあしをあらいました。
「わたしがしたように、おたがいにしんせつにしなさい」

# 20 じゅうじか、イエスさまのあい

ヒー　ダイド　トゥ セイヴ アス フロム　アウア シン　ビコーズ　　ヒー　ラヴド　　アス ソー マッチ
He died to save us from our sin because he loved us so much.
イエスさまは、わたしたちをとてもあいしているので、わたしたちをつみからすくうために（じゅうじかにかかって）しなれたのです。

# 21 ふっかつ、はじめてのイースター

いろをぬりましょう。

オン　サンデー　モーニング　メアリー　アンド　ウィメン　メット　アン　エインジェル アト ザ
On Sunday morning, Mary and women met an angel at the
トゥーム　ジ　エインジェル セッド トゥ ゼム　ジーザス イズ ノット ヒア　ヒー　ハズ　リズン
tomb. The angel said to them, "Jesus is not here. He has risen!"

にちようびのあさ、マリアとおんなのひとたちは、イエスさまのおはかで、てんしにあいました。「イエスさまは、ここにはおられません。いきかえられました」と、てんしはいいました。

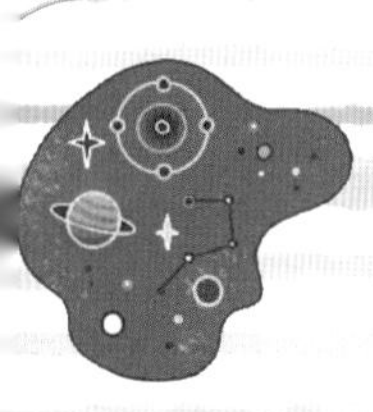

# U·uとV·vのおけいこ

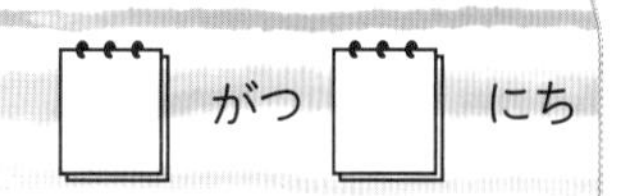


なぞってかきましょう。

おおもじ

U U U

ユー

こもじ

u u u

ユー

おおもじ

V V V

ヴィー

こもじ

v v v

ヴィー

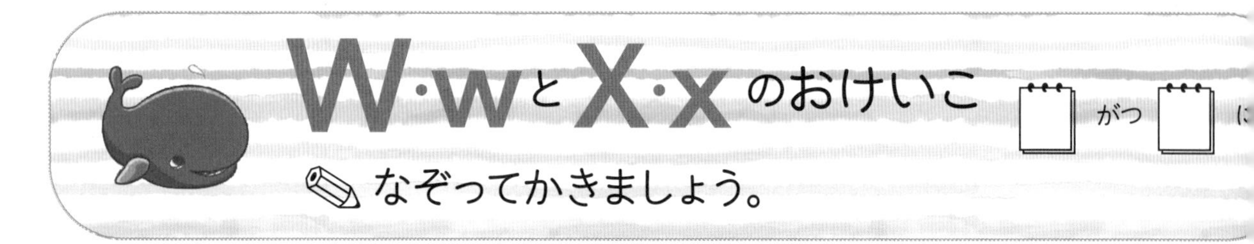


おおもじ

W W W

ダブリュー

こもじ

w w w

ダブリュー

おおもじ

X X X

エクス

こもじ

x x x

エクス

# Y・yとZ・zのおけいこ

なぞってかきましょう。

おおもじ

Y Y Y

ワイ

こもじ

y y y

ワイ

おおもじ

Z Z Z

ズィー

こもじ

z z z

ズィー

おかあさんはどこかな？
おおもじと　こもじをせんでむすびましょう。

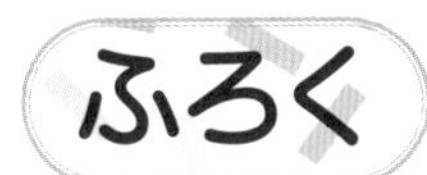


おなじ　おおもじとこもじを　せんでむすびましょう。

P　R　A　Y　E　R

a　y　p　r　r　e

Prayer おいのり

おいのりは、
かみさまとおはなしする
ことです。

Dear God,
Thank you for being with me every day.
Please watch over me
so that I will live happily
with you today. Amen.

かみさま
いつもいっしょにいてくださって、
ありがとうございます。
きょうも　あなたといっしょに
げんきにくらせるよう
まもってください。アーメン

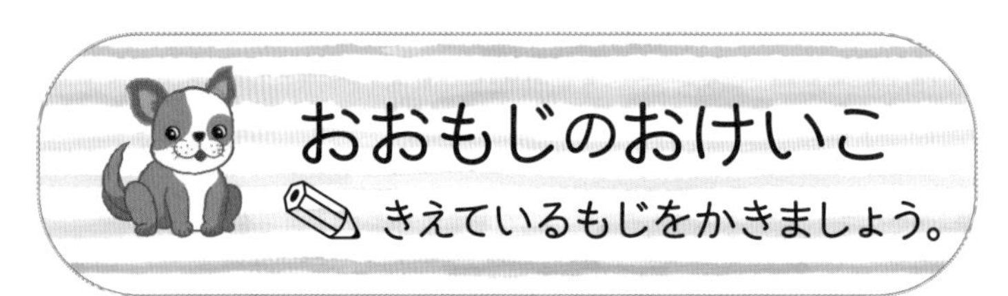

バイブル
**Bible**
せいしょ

ABCDEFGHIJKLMNOPQRSTUVWXYZ

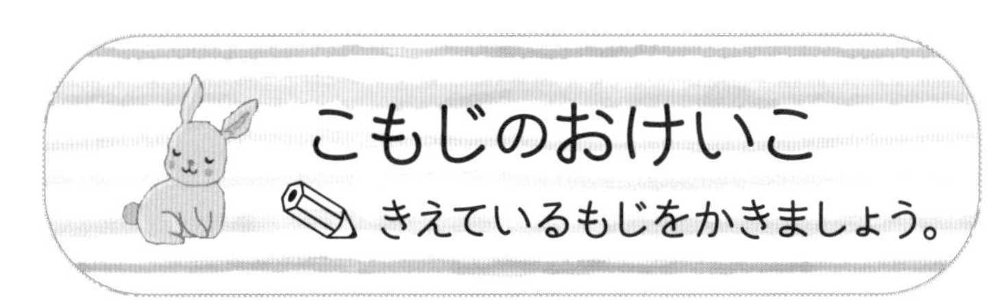

a c

f g i

l n o p

q r t

w z

abcdefghijklmnopqrstuvwxyz